LIBRARY
D1132987

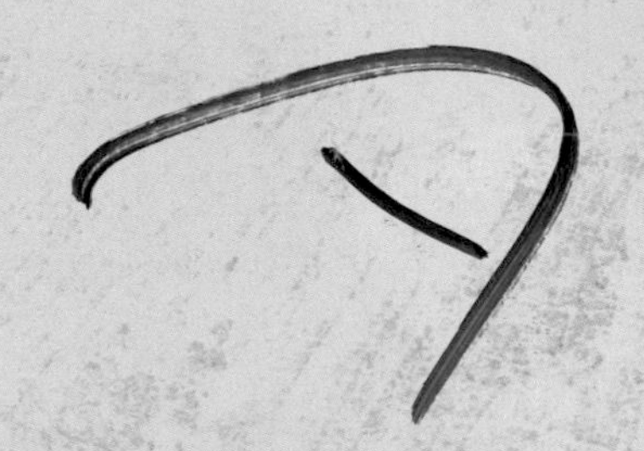

LA REINA DE LOS MONOS
1a edición: marzo 2007

Traductora: Fina Marfà

Roger de Llúria, 15. 08010 Barcelona
Tel. 93 482 07 00. Fax 93 482 07 07
E-mail: info@IntermonOxfam.org

ISBN: 978-84-8452-378-9
Depósito legal: B-11600-07

Impresión: Novoprint, S.A.
Impreso en España

Impreso en papel ecológico, obtenido bajo criterios de sostenibilidad forestal y con alto grado de fibra de papel reciclado.

LA REINA DE LOS MONOS

Anna Manso ~ Àfrica Fanlo

Intermón Oxfam

Vajira, la reina de los monos de Sri Lanka, estaba cansada. Cansada de mandar y cansada de cuidar de los suyos. En resumen, estaba hasta la coronilla, frita y harta de reinar. Pero la reina de los monos de Sri Lanka tenía un problema. Si ella se retiraba, la reina sería su hija, Pramudi. Vajira la quería mucho, pero sabía perfectamente que era una mona caprichosa, presumida y con demasiadas ganas de mandar. La reina dejaba pasar los días sin decidir nada, hasta que un atardecer, saltando de rama en rama, resbaló, se dio un señor porrazo y se rompió una pierna. Mientras permanecía inmóvil para restablecerse, la reina de los monos se dio cuenta de que había llegado el momento. Mandó llamar a su hija y le dijo:

—Pramudi, cariño, ya soy vieja para ser reina. Dentro de pocos días, cuando la luna termine su ciclo y volvamos a tener luna llena, te convertirás en la reina de los monos de Sri Lanka.

Pramudi tuvo que hacer un esfuerzo tan grande para disimular su alegría que todos los pelos se le erizaron. ¡Era justo lo que había estado esperando desde hacía mucho tiempo! Se estrujó el cerebro pensando en cómo celebrar el día de su coronación para que fuera una fiesta deslumbrante, pero ninguna de las ideas que se le ocurrían le parecía lo bastante buena.

Aquella noche, se oyó un ruido lejano y Pramudi se puso a escuchar atentamente. Era música. Pramudi saltó de rama en rama y corrió dando saltitos hasta llegar al lugar de donde provenía aquella música deliciosa. Era un templo lleno de gente en el que se celebraba una gran fiesta. Vio elefantes engalanados con piedras preciosas, hombres haciendo acrobacias con fuego, una multitud de personas llevando ofrendas de flores, músicos vestidos con telas elegantes y mesas con un banquete digno de un rey importante. O de una reina, pensó Pramudi. Por fin sabía cómo quería celebrar el gran momento en el que se convertiría en reina de los monos.

Al día siguiente, convocó al ayudante real, Raja, el mono ayudante de la reina. Raja tenía mucha paciencia, y necesitó una buena dosis para escuchar lo que quería Pramudi:

—Quiero que desfilen elefantes. Quiero un vestido despampanante. Quiero piedras preciosas. Músicos. Un festín con manjares exquisitos y jarras de té. Y malabaristas con antorchas de fuego. Tienes una semana para conseguir todo esto, de modo que espabila. Si lo consigues, te premiaré con un tesoro. Pero, de lo contrario, te echaré de nuestra selva.

Pramudi dejó a Raja con un palmo de narices y se largó. Raja sabía que Pramudi no hablaba en broma. Sólo había una solución: pedir ayuda a sus amigos, Chatu y Sarath, dos niños que vivían en el pueblo de pescadores a los que Raja enseñó a hablar la lengua de los monos cuando eran muy pequeños. Raja se puso en camino. Tenía que hablar con ellos aquel mismo día.

Tras un buen rato de travesía, Raja llegó al confín de la selva, junto a la playa. Al anochecer, se acercó a la casa de madera de Chatu y Sarath. Dio un silbido largo y agudo y esperó. Al cabo de muy poco, un niño y una niña con cara de espabilados se asomaron a la ventana.

—Hola, Raja, ¡cuánto tiempo sin verte! —dijo Chatu muy risueña.

—¿Quieres que vayamos a dar una vuelta con la barca de papá? —sugirió Sarath—. Hace días que no salimos a dar un paseo por la noche.

—No os podéis imaginar lo mucho que me gustaría navegar otra vez con la barca de vuestro padre, pero ahora no puedo —contestó Raja con voz de mono preocupado.

Chatu y Sarath escucharon atentamente toda la historia de la futura reina de los monos e inmediatamente se ofrecieron para ayudarle. Raja dio tres volteretas en el aire como muestra de su alegría.

—Pramudi me ha prometido un tesoro, pero yo no lo quiero para nada. Sólo quiero seguir viviendo en la selva, en mi casa. Sin embargo, a vosotros os será muy útil.

Los niños se miraron con ojos brillantes como esmeraldas. Con el dinero podrían comprar una barca nueva para su padre, o pagarse sus estudios, o construir una casa junto a la suya para poder alquilarla a los turistas que llegaban de países lejanos. Entonces vieron la cara de mono tristón de su amigo y se les encogieron los dedos de los pies de vergüenza. Lo más importante era conseguir que la futura reina de los monos no echara a Raja de la selva.

—Tenemos que ir a la ciudad. Aquí, en nuestro pueblo, no encontraremos nada de lo que quiere tu reina —dijo Chatu.

—Recogeremos un montón de cocos y les diremos a nuestros padres que los venderemos en el gran mercado. Una vez allí, ya se nos ocurrirá algo.

Dicho y hecho. Al día siguiente, con la ayuda de Raja, recogieron algunos cocos de los más gordos. Los cargaron en un carrito y emprendieron el camino hacia la ciudad. Raja recordó cómo Pramudi había decidido preparar aquella gran fiesta y encaminaron sus pasos hacia el templo más cercano. Cuando llegaron, Raja se quedó sorprendido al ver un gran número de monos y monas riéndose como locos. Raja se dirigió a sus congéneres en un tono educado, tal como correspondía a su cargo.

–Queridos monos y monas, soy Raja, el ayudante de la reina de los monos de Sri Lanka, y os quiero pedir un favor. ¿Me podríais decir dónde puedo encontrar elefantes que sepan desfilar? Los necesito para la fiesta de la coronación de vuestra futura reina.

Los monos y las monas, al oírle, llenaron las orejas de los tres amigos de carcajadas grandes, pequeñas y medianas. Después les dijeron que ellos no tenían ninguna reina que les mandara. Hacían lo que les venía en gana, como por ejemplo imitar a los turistas y visitantes del templo y reírse de ellos. Sarath, al oír a aquella panda de bobos y desvergonzados monos, reaccionó con la rapidez del rayo. Les ofreció la mitad de los cocos a cambio de ayuda. Los animales se callaron, se relamieron el bigote y acto seguido les explicaron dónde encontrarían los elefantes que buscaban.

–Les reconoceréis en seguida. Se pasan el día lloriqueando y quejándose de su amo, que les hace trabajar mucho. Id de noche, mientras su amo duerme.

Rs. 300.00
Rs. 100/-
s. 50/- Each
Singuerins
NO.43515

Vendieron el resto de los cocos en el mercado y con el dinero compraron una tela para hacerle el vestido de la reina. Allí mismo lo encargaron a una costurera. La mujer no podía creer lo que le decía aquel par de niños. ¡Querían un vestido, un sari, para su mono! Raja se abrazó de un salto a la mujer y le dio un beso la mar de cariñoso. La mujer se rió sorprendida y aceptó el encargo. Sarath y Chatu se lo pagaron al momento y la costurera cosió el vestido como ella y todas las demás costureras de Sri Lanka saben hacerlo: bien y muy pero que muy deprisa. Tanto que una hora después el vestido estaba listo. Raja, agradecido, le dio otro beso en la mejilla.

Cuando oscureció, Sarath, Chatu y Raja se dirigieron hasta el lugar que les habían indicado los monos del templo: una casa en las afueras de la ciudad rodeada por un muro muy alto. Raja saltó el muro y, cuando estuvo al otro lado, abrió el cerrojo de la puerta principal. Chatu y Sarath entraron sin hacer ruido y se acercaron al cercado donde estaban los elefantes. Los animales les recibieron con un ademán triste. Todos, al oír hablar de la selva, suspiraron.

—¡Somos unos elefantes desgraciados! ¡Qué mala suerte! No os podemos acompañar. Tenemos que obedecer al tirano de nuestro amo, que nos enseñó a desfilar y a levantarnos con dos patas. No nos gusta nada, pero no nos queda otro remedio.

Chatu y Sarath les dijeron que en la selva podrían descansar entre los arbustos, darse chapuzones en los ríos, comer cuanto quisieran... Raja, para convencerlos del todo, les prometió que si les acompañaban, sólo tendrían que desfilar el día de la coronación y basta. Después, podrían hacer lo que más les apeteciera y él les mostraría los rincones más bellos del bosque. Al principio, los elefantes no lo querían creer. Tenían miedo y no se les ocurría la forma de escaparse. Chatu y Sarath les animaron. Sólo tenían que ponerse en marcha. Ellos les enseñarían el camino. Por fin, los animales se levantaron, excitados y decididos. Estaban hartos de su amo y de su forma de tratarles. Les dijeron a los niños y al mono dónde guardaba su amo los ornamentos para los desfiles. Sarath desapareció un momento para volver casi inmediatamente arrastrando un pesado baúl que estaba cerrado con unas cadenas muy gruesas. El elefante más grande agarró las cadenas con su trompa y, con un gran esfuerzo, las rompió. La tapa del baúl se abrió y dejó a la vista unos preciosos ornamentos con incrustaciones de piedras preciosas. Los tres amigos vistieron a todos los elefantes y juntos emprendieron la marcha en completo silencio, porque los elefantes, cuando quieren, son unos animales de lo más silenciosos. En total, eran diez elefantes con un aspecto impresionante.

—Y ahora, ¿adónde vamos? —preguntó Chatu a Raja.

—Tenemos el vestido, tenemos a los elefantes y las piedras preciosas. Ahora nos hace falta conseguir el té —respondió el mono.

La original compañía caminó una noche y un día enteros hasta llegar a las altas montañas donde se cultiva el mejor té del mundo.

En los campos se veía a muchas mujeres que recolectaban hojas de té. Los diez elefantes se echaron en el suelo para descansar y las mujeres, curiosas, se acercaron para verles.

Chatu y Sarath respondieron a todas sus preguntas y les dijeron que necesitaban el mejor té de Sri Lanka, pero que no tenían dinero para pagarlo. Las mujeres miraron a los elefantes y sonrieron.

—Cuando terminemos nuestra jornada, habremos recogido mucho té. Vuestros elefantes podrían ahorrarnos el trabajo de cargarlo hasta el almacén. Si lo hacen, os daremos todo el té que necesitéis.

Los elefantes estuvieron de acuerdo y Raja, para celebrarlo, se puso a cantar una canción de la selva muy alegre. Chatu y Sarath se unieron a todas aquellas mujeres trabajadoras que recogían té. Y, como ellas, se pasaron el día agachados, trabajando hasta que se puso el sol. Raja, mientras tanto, les llevaba agua y les ayudaba en todo lo que podía. Hasta que al anochecer cargaron a lomos de los elefantes los enormes bultos llenos de hojas de té y los transportaron hasta el almacén. Las mujeres les dieron un saco lleno a rebosar de las mejores hojas de té. Eso sí, secas, fermentadas y listas para preparar unas buenas tazas de aquella bebida con la que tanto suspiraba la futura reina de los monos de Sri Lanka. Las mujeres, antes de despedirles, les pidieron un último favor.

—¿Nos podríais dar un paseo en elefante? ¡Son sensacionales!

Los elefantes, halagados, accedieron con una sonrisa de colmillo a colmillo, y las pasearon sobre sus lomos hasta que la luna se encaramó en lo más alto del cielo. Entonces, llegó la hora de la despedida. Chatu, Sarath y Raja prometieron a las mujeres que volverían a visitarlas tan pronto como les fuera posible, y emprendieron el camino hacia la selva.

—Mañana habrá luna llena y no sé de dónde voy a sacar a los hombres que sepan hacer malabarismos con fuego, ni a los músicos —se lamentó Raja.

—Los tienes delante —le contestó Chatu muy decidida.

—¿Vosotros? —dijo el mono, extrañado.

—Sí, nosotros —insistió Chatu—. Sarath fabricará un par de antorchas y bailará con ellas. Y yo tocaré el tambor. Tu futura reina quedará satisfecha.

—Sí —contestó Raja—, no es muy lista. No sabe distinguir una papaya verde de una madura.

Los tres se partieron de risa. Y mientras Raja les contaba mil tonterías de la futura reina, los elefantes llegaron hasta la playa donde vivían los dos niños. Los elefantes y el mono se escondieron en el interior de la selva y los niños volvieron a casa para recoger los tambores y las antorchas. Estaba amaneciendo, pero el grupo se durmió, agotado tras un viaje largo y fatigoso. Cuando la luna volvió a salir, llena y redonda como un sandía, Chatu y Sarath despertaron a los elefantes y a Raja. Llevaban las antorchas, un par de tambores, una jarra enorme llena de litros de té preparado con las hojas que les habían regalado las mujeres y una bandeja llena de manjares exquisitos que habían preparado la madre y la abuela de los niños: curri de pollo con piña, pastelillos de arroz, estofado de lentejas, patatas con especias, repostería de vainilla y muchas otras exquisiteces.

—¡Les hemos dicho que teníamos que hacer un favor a un amigo muy especial!
—explicaron Chatu y Sarath.

El grupo se puso en camino. En la selva les esperaba Pramudi, nerviosa por la ausencia de Raja.

—¡Mono papanatas, creía que no llegabas a tiempo! —soltó Pramudi de mal humor.

Pero al ver a los elefantes, la comida, el té y todo lo demás, se quedó boquiabierta. Chatu se acercó a ella con el sari hecho por la costurera del mercado. La niña le puso el vestido y Pramudi giró sobre sí misma, contenta y feliz.

—Raja, enhorabuena, creí que no lo conseguirías. Veo que no eres tan bobo como yo creía —dijo Pramudi.

Raja suspiró y prefirió no decir nada. Chatu con sus tambores y Sarath con sus antorchas iniciaron el desfile. Detrás, sobre el primer elefante, iba montada Pramudi, muy satisfecha.

Raja cerraba la comitiva, lo más lejos posible de aquella mona engreída.

Bajo el árbol de las ceremonias se habían reunido todos los monos y las monas de la selva. En el centro, en el sitio de honor, se había sentado Vajira. Los monos y las monas se quedaron boquiabiertos ante aquel desfile tan espléndido. Pero luego, al ver a Pramudi vestida como una persona, tuvieron que aguantarse la risa. Pramudi, sin embargo, no se dio ni cuenta.

—¡Venga! ¡Más! ¡Más! —gritó Pramudi dirigiéndose a Chatu, pidiéndole que la música sonara más fuerte.

Pero el elefante que transportaba a la futura reina se confundió. Al oír los gritos, creyó que Pramudi le pedía que caminara más de prisa, y aceleró el paso con tanta mala suerte que tropezó con las raíces de un árbol y Pramudi voló por los aires. Tras un par de piruetas aterrizó junto a su madre, con el vestido arrugado y roto, y vuelto del revés. Esta vez los monos y las monas estallaron en carcajadas. Incluso Vajira, su madre, se retorcía por el suelo.

—¡Basta! ¡Basta! ¡Basta de reíros! ¡Parad ahora mismo! ¡Os lo ordeno! —gritaba Pramudi, roja de ira.

Pero nadie le hizo el menor caso y aún se rieron más, porque la mona estaba tan enfadada que aún resultaba más graciosa.

—¡Silenciooooo! —aulló Pramudi.

Esta vez fueron Chatu y Sarath y los elefantes los que se unieron a la carcajada general. Entonces, Vajira dio unas palmadas y pidió con voz suave:

—Por favor, ¿podéis callaros un momento?
Todo el mundo dejó de reír.

—Hoy os he convocado a todos para anunciaros que Pramudi, mi hija, será vuestra reina. Ya soy demasiado vieja y me ha llegado la hora de descansar. ¿Qué pensáis de mi decisión?

Los monos y las monas se quedaron sorprendidos. La reina nunca les había pedido su opinión. Entonces Raja habló.

—Majestad, sabéis que os quiero y os respeto, pero os digo, de todo corazón, que los monos y las monas no nos sentiríamos bien teniendo a Pramudi como reina. No tal como es ahora. Pero si es lo que deseáis, lo aceptaremos.

Los demás monos y monas sonrieron satisfechos. Raja había encontrado las palabras exactas para expresar lo que todos pensaban. Y había sido lo bastante valiente para decirlas.

En el rostro de la reina Vajira se dibujó una sonrisa fina y delicada. Les volvió a preguntar:

—¿Quién os gustaría entonces que fuese vuestra reina o vuestro rey?

—¡Raja! ¡Raja! ¡Raja! —respondieron los monos y monas al unísono.

—Raja, ya lo has oído, te quieren a ti —le dijo la reina—. ¿Aceptas el cargo?

Raja lo pensó un momento. Era una gran responsabilidad.

—Lo acepto con una condición —dijo Raja—. Lo seré sólo durante un año. Pasado este tiempo, volveremos a decidir entre todos quién queremos que sea nuestro rey o nuestra reina.

A la reina Vajira le pareció bien. Pramudi, muerta de envidia, no tuvo otro remedio que aceptar que, por el momento, no sería la futura reina de los monos de Sri Lanka. Chatu tocó los tambores otra vez. Sarath movió las antorchas arriba y abajo. Y la fiesta se prolongó aquella noche y a lo largo del día siguiente.

Finalmente, llegó la hora en que Chatu y Sarath tuvieron que regresar a casa. Pero Raja les tenía reservada una sorpresa: les regaló los ornamentos con incrustaciones de piedras preciosas que llevaban los elefantes. Los niños los aceptaron emocionados e hicieron prometer al mono que les iría a visitar a menudo para dar un paseo en la barca de su padre. Raja respondió inmediatamente:

—Os lo prometo. Palabra de amigo.

Y mientras el mono les decía adiós con la mano, los niños regresaron a casa montados sobre un elefante.

SRI LANKA

Sri Lanka es una isla. Y también es un país. Así pues, es un país rodeado de agua por todas partes. Agua de un mar enorme. El Océano Índico, porque uno de los países que está más cerca de Sri Lanka es la India.

Sri Lanka no se ha llamado siempre así. Antes se llamaba Ceilán. Y todavía antes tuvo nombres como Lanka, Lankadweepa, Simoundou, Taprobane, Serendib y Selán, porque en Sri Lanka viven personas desde hace más de ¡18.000 años!

Los habitantes de Sri Lanka son los cingaleses y las cingalesas. No todos hablan la misma lengua. La mayoría habla cingalés. Pero hay personas que hablan otra lengua: el tamil. Y también se habla inglés. Depende del lugar en el que vivan o de la familia en la que hayan nacido. Como en todas partes, en Sri Lanka hay gente muy distinta.

Si fuerais un pájaro y volarais por encima de Sri Lanka, veríais playas, selva, parques naturales, un montón de animales, ciudades antiquísimas, palacios milenarios, pueblos, lagos, lagunas, ríos y unas pocas montañas.

Si decidierais aterrizar para descansar un poco y os posarais en la cima de la montaña más alta, el Pidurutalagala, ¡os moriríais de frío! En cambio, si lo hicierais en alguna de las playas más bonitas, como Unawatuna, podríais ir en manga corta, porque el clima de Sri Lanka es tropical.

En Sri Lanka ha habido guerra durante mucho tiempo. La población de Sri Lanka está intentando solucionarlo y esperemos que así sea, porque son personas amables, acogedoras y con muchas ganas de salir adelante.

Pero el mayor desastre tuvo lugar el 26 de diciembre del año 2004: el tsunami, un terremoto en el mar. La fuerza del terremoto formó una ola gigantesca que se llevó quilómetros de playas, con sus pueblos. Murieron muchas personas y muchas otras se quedaron sin un lugar donde vivir y sin trabajo.

Ahora ya han pasado bastantes meses y, gracias al esfuerzo de los cingaleses y de mucha ayuda que ha llegado de todas partes, se han podido reconstruir muchas de las cosas que el tsunami destruyó. Pero todavía queda mucho por hacer. Y hay personas que desde entonces todavía no han podido llevar una vida normal.

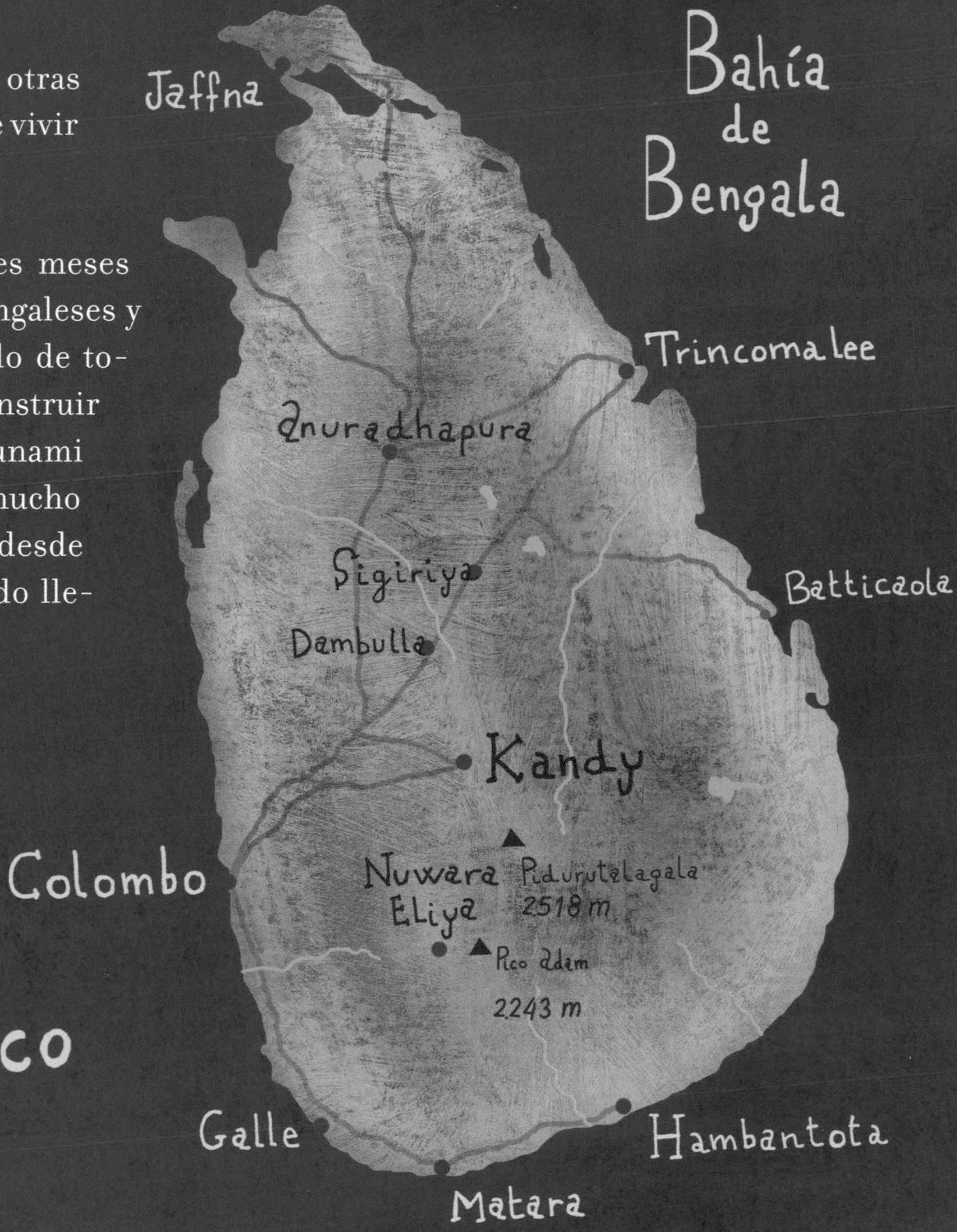

LASI DE MANGO

En Sri Lanka, cuando tienen sed o hambre o les apetece una bebida muy rica, se toman un *lasi* de mango o, com ellos dicen, *mangolasi*. Es yogur líquido con mango. Aquí tienes la receta para que puedas prepararlo con la ayuda de una persona mayor.

Necesitas:

- 2 yogures naturales
- 1 vaso lleno de agua
- 1 mango
- un poco de azúcar

- Vacía los yogures en un recipiente.
- Vacía también el vaso de agua en el mismo recipiente, junto con los yogures.
- Llama a tu padre, a tu madre, a tu abuelo, a tu abuela, a tu tío, a tu tía o a cualquier persona mayor que esté en casa y pídele, por favor, que sea tu ayudante.
- Tu "ayudante" tiene que cortar el mango en trocitos.
- Tú pon los trocitos de mango dentro del recipiente.
- Tu ayudante tiene que enchufar la batidora y batir todos los ingredientes: el yogur, el agua y el mango hasta que la mezcla quede muy fina.
- Ahora ya puedes darle las gracias a tu ayudante y seguir tú solo.
- Prueba la mezcla y añade un poco de azúcar si crees que hace falta.
- Vierte la mezcla dentro de un vaso y… ¡que aproveche!

Eh, también puedes invitar a tu ayudante.
Y no te olvides de limpiar y ordenar la cocina.

Si no te gusta el mango, puedes prepararlo con plátano, fresas o la fruta que más te guste. Usa tu imaginación. A lo mejor, en lugar de yogur natural puedes poner yogur de… ¡de lo que quieras! Seguro que te va a salir buenísimo.

CARROM

El carrom se parece al billar, pero en pequeño. Cada jugador tiene un color de ficha. O blancas o negras. Y también hay una ficha que no es de nadie: la reina, de color rojo. Y otra ficha, la bateadora, que es de todos y que se utiliza para mover las demás fichas.

Se colocan las fichas sobre el tablero y los jugadores tiran por turnos. Cuando te toca jugar, coges la ficha más grande, la bateadora, y la usas para empujar una de tus fichas. Tienes que conseguir que tus fichas entren en los cuatro agujeros de las esquinas. Si tienes puntería y aciertas, vuelves a tirar. El jugador que consigue meter todas las fichas de su color y, al final, mete la reina, gana. ¡Pero atención!. Si metes la reina dentro de un agujero antes de haber metido las otras fichas, pierdes.

¡Mucha suerte!

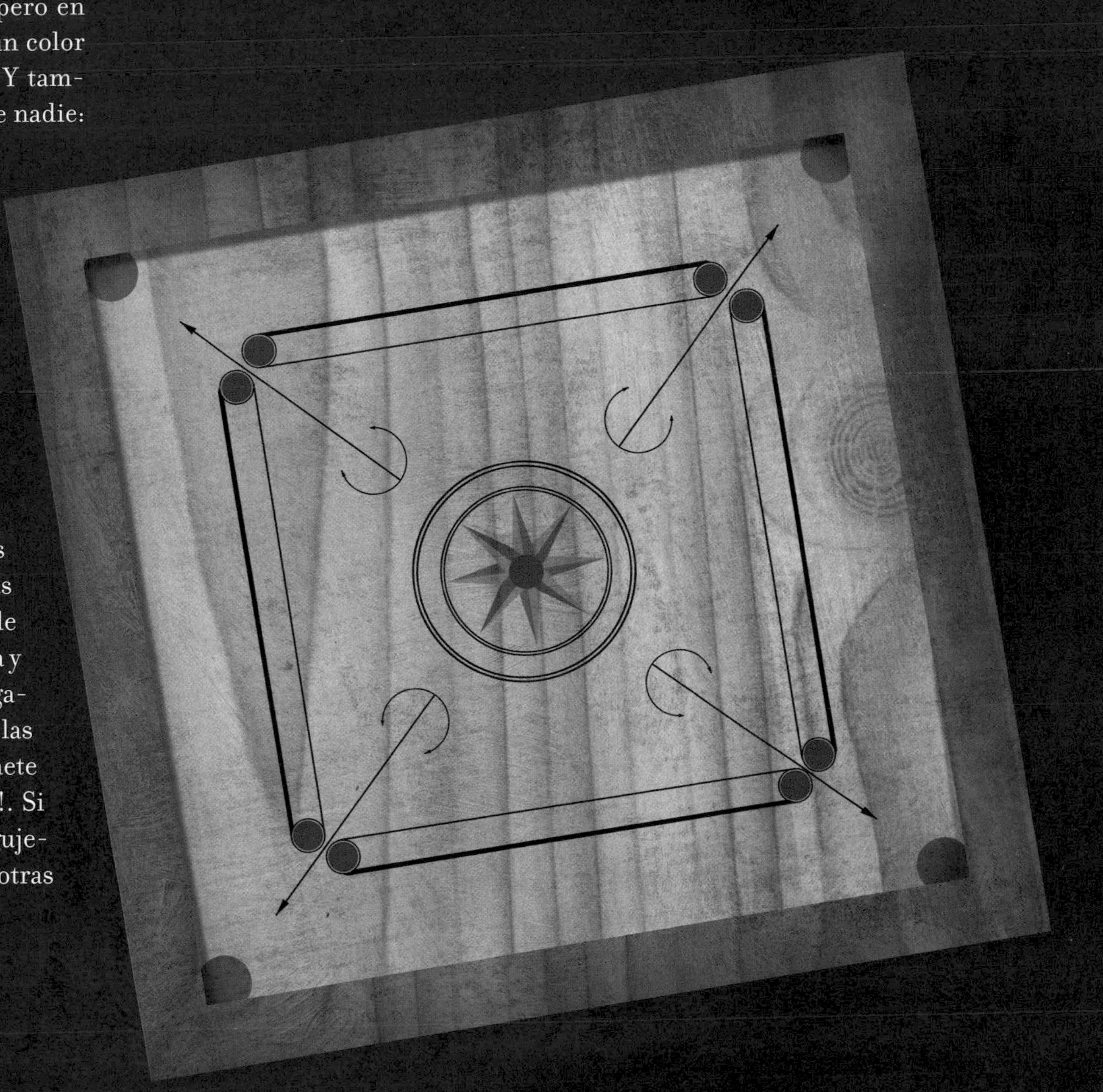

ANNA MANSO

Anna Manso nació en el barrio de Gracia de Barcelona el año 1969, y aún vive en él. Dice que es su pueblo. No le falta razón, porque hace vida de pueblo. Gracia es el lugar donde trabaja, el lugar al que lleva sus tres niños al cole, en el que gasta plazas, compra, hace y deshace... Así que no hay que ser muy listo para saber dónde fue escrito este cuento. Además, Gracia es el lugar donde nacieron sus padres, algunos de sus abuelos y ¡¡¡¡bis-abuelos!!!!

Pero no todo lo ha hecho en estas callejuelas. estudió cine y guión en Barcelona y Bellaterra. Y, aunque le da cierta pereza, hay veces que no tiene más remedio que salir del barrio para ir a reuniones y cosas aburridas (o no). Para mi, es muy práctico, porque tengo mi estudio a tres calles de su casa y podemos quedar para tomar un café y encontrarnos en dos minutos. Entonces, le pregunto por su trabajo, por los cuentos que ha escrito, por sus guiones de televisión y por toda su chiquillada (¡tres!)

Dice que no tiene tiempo para hacerse una página web, pero en cuanto la tenga nos avisará. De todas formas, os aconsejo que estéis atentos y busquéis su nombre en alguna serie o programa de televisión. Últimamente, la veo más veces que pecas tiene en la cara (y os aseguro que tiene un montón). ¿Qué más os puedo decir? Pues que Anna Manso es... mi Anna.

Àfrica Fanlo
Ilustradora y pintora

ÀFRICA FANLO

Àfrica Fanlo nació en Barcelona el año 1972, pero también podría haber nacido en París, porque le gusta mucho vestir con medias y camisetas de rayas de aquellas tan francesas. Ha estudiado mucho para llegar a ser una artistaza. Sí, sí, sí. Una AR-TIS-TA. Lo digo yo, porque seguro que ella contesta con un "¡Anda ya". Dibuja cuadros o pinta dibujos. O, simplemente, expresa su mundo a través de su obras. Lo mejor que se me ocurre decir es que, cuando ves un dibujo o un cuadro de Àfrica, al momento sabes que es suyo. Y cuando me vino a buscar para que hiciésemos cosas juntas pensé que me había tocado la lotería.

Trabaja haciendo dibujos para cuentos en catalán, castellano y francés (por ahora), y también para libros de texto (Si yo hubiese estudiado con un libro ilustrado por Àfrica ¡habría sacado mejores notas!). Pero la cosa no se acaba aquí. También se atreve con revistas, webs, publicidad, animación (sí, sí, dibujos animados) Y si dentro de un año volvemos a hacer la lista, seguro que tendremos que añadir más cosas.

Si la queréis conocer, tan sólo tenéis que visitar su página web http://www.africafanlo.com o daros una vuelta por el barrio de Gracia, en Barcelona. Seguro que la encontraréis subida en su bicicleta rosa, vestida con una sonrisa deslumbrante, llena de fuerza, especial.

Anna Manso
Escritora y guionista